Gallimard Jeunesse/Giboulées
Sous la direction de Colline Faure-Poirée et Hélène Quinquin

Conception graphique : Néjib Belhadj Kacem•© Gallimard Jeunesse, 2007
ISBN : 978-2-07-057662-3•Numéro d'édition : 332482•Premier dépôt légal : mars 2007•Dépôt légal : décembre 2017
Loi n° 49956 du 16 Juillet 1949 sur les publications destinées à la jeunesse
Imprimé en France par Pollina - 83250C

ROMUALD

LES PYJAMASQUES AU ZOO

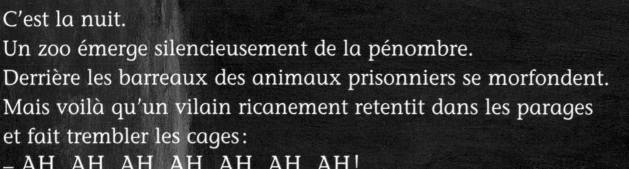

C'est la nuit.
Un zoo émerge silencieusement de la pénombre.
Derrière les barreaux des animaux prisonniers se morfondent.
Mais voilà qu'un vilain ricanement retentit dans les parages
et fait trembler les cages:
– AH, AH, AH, AH, AH, AH, AH!

OH, NON! C'est l'horrible Gatzo, le gardien du zoo.
C'est lui qui a la clé, et ça le fait bien rigoler.
– Salut les bêtes! Arrêtez un peu de faire la tête et je vous
donnerai peut-être une cacahuète! AH, AH, AH!
– On n'est pas faits pour vivre ici! répètent les animaux.
On s'ennuie à mourir! Laisse nous partir!

– Non, non et mille fois NON! s'emporte le gardien.
Pas avant que ma fortune ne soit faite, car demain
les gens paieront cher pour venir vous voir.
CHLAC! Le grand fouet claque sur les barreaux et fait
peur aux animaux. Mais c'est sans compter avec
les Pyjamasques. Yoyo, Gluglu et Bibou sont là, cachés,
prêts à lui chiper la clé!

PAF! Un coup de pied aux fesses!

BING! Un croche-pied! Et ZIOUP!

– À nous la clé de la liberté!
– Ah! ça vous amuse de vous déguiser en animaux. Alors, vous aussi,
vous finirez dans mon zoo! gronde le gardien furieux.
Et CHLOC et CHLAC! Le grand fouet les attaque! Raté, loupé, manqué!
Il en faut plus que ça pour effrayer nos trois acrobates.

– Ça suffit! Assez joué! Rendez-moi ma clé!
– Pour quoi faire? Pour enfermer d'autres animaux?
Alors là, tu te mets le doigt dans l'œil ma belle !

– AÏE! OUILLE! Mon œil! Bande de canailles! Fripouilles!
Pendant que Gatzo pleurniche et braille, les Pyjamasques
poursuivent leur plan de bataille. CLIC, un tour de clé par-ci!
CLAC, un tour de clé par-là! Regardez les cages s'ouvrir!
Vite, vite! il est temps de s'enfuir.

Quelle débandade ! Enfin libres, les animaux déchaînés foncent sur Gatzo.
– Quelque chose me dit qu'il ne faut pas rester ici ! s'écrie le gardien.
Il est obligé de s'enfuir et va s'enfermer dans une étroite cage en fer. C'est le monde à l'envers !

Les animaux sont déçus :
– Zut ! On a encore été eus !
On aurait bien voulu lui rendre
ce qu'il nous a fait, lui botter le derrière
et lui croquer les mollets !
Soudain, Gluglu arrive avec un drôle de butin.
– Regardez tous ces ballons en forme d'animaux,
ils sont au gardien du zoo.
– Ça me donne une idée ! s'exclame Yoyo.

On accroche les ballons à la cage,
et HOP! bon vent, le gardien méchant!
C'est le hasard qui se charge de toi, maintenant!

Sans tarder, les animaux sortent du zoo et arrivent sur un quai au bord de l'eau.

Ils saluent la lune et entonnent leur chant magique. Le vent se réveille, la mer s'agite. Les Pyjamasques chantent avec leurs amis, comme s'ils appelaient quelqu'un à l'autre bout de la nuit.

– Au fait, pourquoi on chante comme ça? demande Gluglu à une très vieille tortue.

– C'est pour rentrer chez nous, mon petit. Regarde!

– SCHLOUUUUUUF!!!

Quelque chose de gigantesque s'apprête à faire surface.

C'est une énorme baleine qui accoste silencieusement.
Il est l'heure de se dire au revoir.
– Venez donc avec nous sur notre Île Imaginaire !
propose le roi des animaux.
– Merci, mais on doit rentrer, ou nos parents
vont s'inquiéter, répond Bibou.
– Alors, à une prochaine fois peut-être ?
dit l'ours blanc.

Prêts pour le voyage! D'un coup de nageoire,
l'immense baleine est déjà loin dans l'océan.
Elle seule connaît le chemin pour traverser
les sept mers et voguer jusqu'à l'Île Imaginaire.

– MISSION ACCOMPLIE! On retourne au lit!

En quelques cabrioles, les Pyjamasques se dépêchent de rentrer chez eux, car demain il y a école.

– À quoi ça peut ressembler, leur Île Imaginaire? demande Bibou.

– Ce doit être une île où il n'y a ni cage, ni clé, répond Gluglu.

– Zut! alors, s'écrie Yoyo. À propos de clé, j'ai perdu celle qu'on a prise au gardien!

Mais où a-t-elle bien pu passer?...